KB178296

저마다의 등불

ModernBooks

저마다의 등불

발　행 | 2024년 06월 01일
저　자 | 김서영, 김선영, 박세정, 이세원, 이채나, 주원, 최설
펴낸이 | 박강산
펴낸곳 | 모던북스
출판사등록 | 2022.10.27.(제2022-144호)
주　소 | 서울특별시 동작구 현충로 220
이메일 | modernbooks_official@naver.com

ISBN | 979-11-93445-16-7

https://modernbooks.co.kr

저마다의 등불

김서영 · 김선영 · 박세정 · 이세원 · 이채나 · 주원 · 최설

ModernBooks

들어가며

이 시집에는 모던북스의 <작가가 되는 시간>을 통해 발굴한 7명의 시인들의 작품이 실려 있습니다. 일곱 명의 시인들은 각자의 개성적인 시선으로 세계를 바라보고 있습니다.

그러나 이 시집을 관통하는 의미는 가히 '즐거움'이라 하겠습니다. 어떤 슬픈 날들은 "산들 바람에도 요동치는 세상"(「소나기」)처럼 힘겹겠지만, 즐겁고 행복했던 기억들을 소중하게 "튤립"(「튤립에 마음을 담아」)처럼 바라볼 수 있는 마음들이 시라는 그릇에 담겨 흥미롭고 재미있게 놓여져 있습니다.

"갈피를 못잡는 마음"(「잃어버린 것」)이 들다가도 세상에! 어떤 소 똥 냄새가 "참 좋은 냄새"(「참 좋은 냄새」)가 되어 콧노래를 흥얼거리게 합니다.

또 어떤 기분이 "이 세상은 다 내것"(「광어회」)처럼 느끼게 하는데요. 우리는 시에게 "입을 빌려"주었습니다.(「낙수」) 이 즐거움들을 부르기 위해서요. 오늘도 내일도 언제나 사랑하기 위해 시라는 이름의 "따뜻한 손"을 내밀어 봅니다. (「오내언사」)

차 례

김서영

넘쳐흐르는 감정을 곳곳에 숨겨두었습니다.

_

아이러니한 것들이 참 많습니다. 심해에 빠진 걸 알면서도 발버둥을 치고, 지난 상처에는 소금을 뿌립니다. 괜찮다 말하는 와중에도 가슴은 저릿하게 아파지고, 스스로에게도 솔직하지 못하여 이유 모를 눈물을 흘리곤 합니다.

어렵게만 느껴지는 감정 앞에서 펜을 들었습니다. 그리고 솔직해지기 위해, 공책을 폈습니다.

어리고 서툴게 써 내려간 시가 하나의 손길이 되었으면 합니다. 아무것도 모르는 어린아이의 말이 뜻밖에 위로가 되는 것처럼요.

공감되고 위로가 되는 글로 다가갈 수 있길 바랍니다.

나에게 주는 꽃

아침 햇살에 눈을 뜬다
슬리퍼를 신고 이부자리 정리를 하고
미세먼지를 확인한 뒤에 창문을 열고
씻고 청소기를 돌리면 하루가 시작된다

보드라운 이불과 인형이 있는 침대
시집이 가득한 책장과 깔끔한 책상
은은한 빛을 내는 무드등과 노래가 울려 퍼지는 스피커
여기저기 붙여져있는 사진과 엽서들

좋아하는 것들로 가득한 내 방에는 프리뮬러가 피어난다

유리잔에 따라 마시는 커피
오늘 할 일을 기록하는 하트모양 메모지
매일 두드리는 분홍색 키보드
한 벌로 맞춰 입은 잠옷

취향이 묻어나는 일상은 토끼풀의 씨앗이 된다
씨앗을 품는 건 어렵지 않다

어두운 방 안에 가두지 않는 것
더러운 방을 보며 한숨 쉬지 않는 것

선선한 바람을 맞는 것
오로지 나를 위한 것들로 채우는 것
가장 오래 머무는 곳에 애정을 가지는 것

프리뮬러 옆에 토끼풀의 싹이 튼다

나를 위한 사랑초를 사 가는 모습은 사랑스러울 것이며
바람에 좋은 향을 남기며 살아갈 것이니

- 꽃말
* 프리뮬러: 소녀시절의 희망
* 토끼풀: 희망이 이루어짐
* 사랑초: 당신을 버리지 않겠습니다, 끝까지 지키겠습니다

쓸모없는 사람임을 깨닫는 어느 시간

아, 물 쏟았다.

…

……

닦으면 된다는 걸 알면서도

멍하니 보고만 있다

휴대폰 화면 속으로 본 강에는 달빛이 비치던데

쏟은 물에는 나만 비치고 있어

애써 외면한 내 모습

모든 거울을 덮어놓게 한 내 모습

휴대폰만이 유일한 불빛인 이 곳

나한텐 빛이 없거든

내 방은 항상 어둡거든

그래서 내가 쏟은 물에도 빛이 없어

번지고있는 물을 보며 눈물을 쏟아

달빛 따위 없는 얕은 강이 생긴다

그게 내가 원하는 강이야

튤립에 마음을 담아,

안개가 짙은 날에 튤립 보러 가자
안개와 꽃을 함께 보면 안개꽃이라는 말장난할래

–

아, 그거 알아?
꽃다발을 선물할 때 안개꽃을 배경으로 두는 거
다른 꽃에 진정한 의미를 담는 거 말이야

안갯속에 마음을 펼쳐두고
마음속에 보라색 튤립을 담아둔다

있잖아, 그거 알아?
오늘 하루 종일 내 마음을 전한 거 말이야

네게 보라색 튤립을 보여주고
빨간색 튤립을 쥐여준다

...

노란 튤립을 만지작거리며

나지막이 속삭인다

...잘한 거야, 그래.

*

안개꽃: 변하지 않는 사랑

보라색 튤립: 영원한 사랑

빨간색 튤립: 고백

노란색 튤립: 이루어지지 않는 사랑

우리의 장르

모두가 우린 특별하다고 생각한다
우연이 아닌 운명이라고
이번엔 느낌이 다르다고

모든 이유는 우리가 된다

나도 알아
흔하디흔한 이야기란 걸
끝과 시작을 반복할 거란 걸

우리도 별반 다르지 않은 만남이겠지만

내가 다시 누군가와 시작하기로 마음먹었다면
내 시선 끝에는 네가 담겨있을 거란 거

내가 다시 누군가를 믿어보기로 마음먹었다면
내 마음속에는 네 이름이 적혀있을 거란 거

모든 이야기는 슬픈 결말을 위한 게 되겠지만

말도 안 되는 해피엔딩을 위해 다시 펜을 들었으니,

로맨스에 판타지를 섞어 소설 같은 사랑을 하자

안주거리가 된 이야기들

씁쓸한 웃음은 기본 안주

저릿한 가슴은 마른 안주

술잔을 맞대는 지금은 메인 안주

고이는 눈물은 술이 되어

돌아가고 싶지 않은 순간은 돌고돌아

돌아가고 싶지 않을 순간을 만든다

좋아

행복해

좋은 너와 함께해서 행복해

네 덕에 이 술집을 알게 돼서 행복해

메인 안주가 있어도

중간중간 다른 안주도 먹는 것처럼

불현듯 찾아오는 그때의 감정과 불안

과거에 머물러 현재를 보게 되면

현재도 과거와 같을 거라는 생각이 나를 괴롭히고

생각은 확신이 되어 슬픈 눈빛과 함께 옅은 웃음을 띤다

아직 어려서 그런가
아직 어려서 술자리가 어려운가
어려서 술잔에 술이 넘치도록 담는 건가

어려서 어려운 지금
확실하게 전할 수 있는 한마디는
네 눈을 마주 보고 웃을 수 있어서 행복해

자, 짠하자.

나에게도

얼룩진 그릇
흠집 난 컵
코팅이 벗겨진 냄비

그걸 씻는 손길

먼지 쌓인 선반
물 자국이 가득한 거울
양념 묻은 식탁

그걸 닦는 손길

모든 흔적을 지울 순 없지만
손길이 닿은 곳은 깨끗해진다

내 머리도 쓰다듬어 주는 손길이 있었으면
내 마음도 어루만져 주는 손길이 있었으면

나와 닮은 그릇처럼
내 마음 같은 선반처럼

그랬으면

신발 끈

네가 묶어준 쪽은 안 풀리는데
내가 묶은 쪽은 계속 풀린다

그냥 신발 끈을 묶으려 고개를 숙인 건데
이상하게 눈물이 후드득 쏟아졌어

내가 우리 관계를 망쳤나
내가 신발 끈을 못 묶어서 계속 풀리는 것처럼 말야
나 때문에
그래서 우리가 풀렸나

네가 다시 묶어주면 좋겠다
신발 끈도 나도

5월이 오다

벚꽃이 지고 5월이 왔다

더 많이 보러 갈 걸
사진 많이 찍어둘 걸

책상 한편을 지키고 있는 사진 속
벚꽃 옆에서 웃고 있는 내가 부러워

져 버린 벚꽃은 다른 꽃이 되어 피겠지만

쏟아낸 그리움을 먹고 자란 꽃은 아무도 볼 수 없다
사무친 그리움은 보고 싶은 마음에서 나오기에,

기억에 의지하여 떠올리는 그날의 벚꽃은

예쁘고
따뜻하고
사랑스러웠다

오늘도 사진을 보며 혼잣말을 한다

언니, 잘 지내지?
오늘은 꼭 꿈에 나와줘야 해

책갈피

책임감에 짓눌려 쉴 곳을 찾는 사람을 위해 끼워놨나
갈 곳 없어 헤매는 사람을 위해 끼워놨나
피어나는 꽃잎처럼 활짝 펴보라고 끼워놨나

좋아하는 책 속에 끼워두는 책갈피는
다시 시작할 나를 위한 것임을

김선영

글은 그 사람의 경험과 이에 바탕한 상상의 한계를 벗어나지는 못하는 것 같습니다. 여기에 써진 글들도 제가 보고, 듣고, 느낀, 바로 그 좁은 한계 내의 경험들이 바탕이 되었습니다.

하지만, 생각보다 사람들의 경험은 다양해서, 내가 당연하다고 생각했던 것도 다른 사람에게는 뻔한 것이 아니고, 반면 내가 생각하거나 겪어보지 못한 것들을 경험한 사람들도 많았습니다.

그래서 사는 것은 언제나 새롭고 기대되는 일인 것 같습니다. 그런 의미에서 완성도가 높은 글이라고는 생각할 수 없지만, 제 글이 누군가에게는 경험하지 못한 신선함을 줄 수 있지 않을까 하는 바람을 가져봅니다.

소나기

꽃잎에 고이는 빗물에
빛 부스러기를 머금은 참나리,
채워지면 고개 숙여 비우고
다시 채우는 요란한 시간이 지나면
세상은 투명한 유리가 된다.

하늘과 구름을 담은 흙탕물,
산들 바람에도 요동치는 세상,
뭉개졌다 펴지는 하얀 구름 사이로
지나가는 새빨간 고추잠자리

아이는 날고 싶다.
샘이 난 아이가 뛰어들면,
해바라기처럼 퍼지는 흙탕물
하늘은 흐려졌다가
금세 맑아지고,

변덕쟁이 무지개를 향해
초록빛 여치가 날아오르면,
강아지풀 꽃차례가 휘청이며

알알이 박힌 물방울이 떨어져
다시 물웅덩이를 흔든다.

잠자리가 어디 숨었을까?
다시 내려다 본 하늘에
긴 자국을 남기며 나는 비행기.
아이는 날고 싶다!

도시의 아침

회색 건물 사이 앙상한 가지들
요란히 지나가는 전철
광고판을 가로지르는 까마귀
교복을 입은 고등학생의 미숙한 표정과
정장 차림을 한 회사원의 메마른 시선이 무심히 스치고,
자전거를 탄 아이의 앳된 숨결이 공기 중으로 하얗게 퍼지면,
그 사이로 건조한 겨울 태양이 떠오른다.

메마른 가지에 핀 철쭉 한 송이
그 옆을 가로지르는 생쥐
취객의 신선한 토사물을 쪼아대는 허기진 비둘기
잠옷 차림의 여인은 겨울옷을 입은 푸들과 산책을 하고,
속도 제한 표지판을 무시한 채 차량들이 질주하면,
사이드미러에 반사된 태양 빛에 행인은 눈이 부시다.

화장을 하는 여자
핸드폰 화면을 두드리는 남자
캐리어에 갇힌 고양이의 갸르릉 소리
유모차 속 아이의 울음소리
정차를 알리는 안내 방송

누군가의 안부를 묻는 통화
소음을 지나 햇살은 노약자석 승객의 얼굴 위로 쏟아지고,
초로의 여인은 그 따사로움을 이불삼아 단잠에 빠져든다.

도시는 언제나 시끄럽고, 태양은 어디서나 따뜻하다!

오래된 가족사진

갸름한 얼굴에 쪽진 머리,
평온하고 고된 얼굴
행복도 불행도 담지 않은 눈으로
노파는 늙은 아이를 본다.

긴 인생의 짧은 동행들,
젊은 사내는 노파를 닮았고
아이는 사내를 닮았지만
아이와 노파는 들창코만 닮았다.

노파는 숨겨둔 사탕을 오빠에게만 주었지만,
1시간을 걸어 아이를 학교에 데려다 주었고,
해가 창호지 격자사이로 스며들면,
아이는 노파의 찬 귀를 만지며 잠에서 깼다.

노파는 겨울밤 망자의 목소리를 들었고,
동지에는 꼭 붉은 팥죽을 먹었다.
노파는 버들잎 같은 아이의 손을 잡고,
염원을 담은 눈으로 사진 밖 아이를 본다.

아이야, 곶감도 호랑이만큼 위험하단다!
아이의 낙엽 같은 손에 근심이 전해지면,
자신의 귀를 만지며 아이는 잠이 든다.

아침에 마시는 커피

"카페 라떼 한 잔 주세요!"
인사도 없이 건네는 주문,
대답도 없이 돌아가는
에스프레소 머신 소리에
쌉싸름함이 미리 입안을 채운다.

"카페 라떼 나왔습니다."
종이컵의 온기 사이로
기대를 품은 향기가 피어나
여명에 반짝 인사를 건네고
찬 공기 속에서 눈송이가 된다.

첫 모금이 주는 포근함에
오랫동안 잊고 있던 기억들
50대에 허리가 굽은 할아버지
인력시장을 서성이던 아버지의
거칠한 사연이 밀려들고,

솜털 같은 눈송이들은
찬 공기를 사뿐히 가로질러

검은 액체에 내려앉아
흔적도 없이 잊히어 간다.

조용한 복도를 지나
잠깐의 고요함 가운데
어지러운 책상 위 덩그러니
긴 시간이 쌓인 커피 한 잔으로,
나는 간밤의 불면을 게워내고
또 새로운 사연을 채울 준비를 한다.

겨울비

"탁, 탁, 탁"
묵직한 구두 소리
"총총총총총"
종종거리는 발걸음
"통,통,통,통"
우산을 두드리는 물방울

우수(偶數), 눈이 녹은 빗속
보들한 아이의 손을 그러잡고,
헝클어진 머리칼을 넘기며
분주히 건네는 엄마의 사과
"덥지? 패딩을 입혀서 미안."

패딩 속 자그마한 손에서
새빨간 우산은 일렁이고,
총총히 땋은 머리를 젖혀
올려다보는 동그란 눈망울
"엄마, 난 분홍색이 좋아요!"

바삐 출근하는 행인들,

서둘러 내리는 가랑비,

끊이지 않는 경적 사이로,

소곤소곤 들리는 결연한 다짐

“난 매일매일 이 옷만 입을래!”

박세정

신뢰가 깊은 친구에게는 나의 깊은 이야기를 꺼내고 싶습니다. 또 나의 깊은 이야기를 꺼내 놓으면 그 이야기의 실제 현장에서 느꼈던 감정과 생각이 자유롭게 해방되는 것을 느낍니다. 각 각의 시에는 사랑과 관계의 변화, 부모 역할의 피로도, 사별과 그리움, 임신과 출산 등의 이야기를 담고 있습니다.

여기에 담아낸 정서가 밝고 긍정적이지만은 않을지도 모릅니다. 하지만, 이 글을 읽는 누군가가 유사한 경험과 감정을 공유하여 '공감'의 장이 된다면 슬픔으로 우리는 하나의 공동체가 되고 보이지 않지만 이 세상 어딘가에선 나와 함께 이 시간을 보내는 사람이 있을 거라는 위안을 경험하겠지요.

납자루가 좋아하는 온도 36.4°C

어느 날부터 겨울이 좋았다.
추운 날마다 내 손에 쥐여주었던
따뜻한 캔 커피 70°C 손난로 60°C 와
마주 잡은 손 40°C
겨울처럼 차가워진 내 마음속에
어느새 자리 잡은 따뜻한 온도 40°C
딸이 5살이 되던 해 영하 7°C에
빙어를 잡으러 간다.
60°C의 손난로 딸의 손에 쥐어주고
한 움큼 잡은 빙어떼
23°C 따뜻한 우리 집에 들어왔을 때에는
파도에 뒤집어진 배처럼 배만 내밀고
한 마리 물고기만 고개를 들어 뻐끔뻐금
머리를 내밀고 있네
납자루 한 마리
따뜻해진 내 손에 건졌다가 20°C 물 속에 넣었다.
높이뛰기 선수처럼 메뚜기처럼 물 밖으로
폴짝이며 철퍼덕 바닥에 구르는 납자루 한 마리
다시 36.5°C 내 손에 앉았다.
납자루는 그 온도가 매우 좋았다.

결혼 3년차

굵은 빗줄기 틈 사이에 놓인 우산 아래
나란이 선 연인 사이에
얇은 막대만큼의 틈이 있었다.
우산은 비를 끌어당기고
연인은 서로를 끌어당기고
달은 바다를 끌어당겼다.
발아래 물이 정강이까지 찼다.
액자 속 하얀 드레스는
물에 젖어 색이 바랬다.
막대만 한 틈 사이에
지구만 한 틈이 생겼다.
낮이 오면 밤이 사라졌고
밤이 오면 낮이 사라졌다.
위로 가며 아래로 가고
아래로 가면 위로 갔다.
그들은 지구만한 틈에 가려
서로의 얼굴을 볼 수 없었다.
결혼 3년 차.
바닷물이 차오른다. 어디로 가야 하나
달은 바다를 끌어 당기고
우산은 비와 땅 사이를 가로막았다.

참 좋은 냄새

소 밥 주러 가는 것이 좋은 어린 딸이
자주 가고 싶은 시골 시댁 집
우리 아빠 곱슬머리처럼
가느다랗고 꼬불꼬불한 길을 지나면
그립고 정다운 냄새
우리 남편 좋아하는 청국장
구수한 소 똥 냄새가
반겨줍니다. 어서 오시오.
나는 반가워 창문을 더 활짝
열어 봅니다.
고추냉이 한 움큼 먹은듯
콧속이 지끈거리는 듯
인상을 찌푸리는 딸의 표정
나를 닮은 딸의 눈 속에는
곱슬머리 아빠가 운전석에
앉아 웃고 있습니다.
'냄새 좋다.'
'자연의 냄새다.'라며
콧노래를 흥얼거립니다.
나는 눈을 감으며
흥얼거립니다.

‘자연의 냄새 참 좋다.’

키가 큰 식물

해는 동쪽에서 서쪽으로
언제나 그곳에 있습니다.
봄이 오면, 햇살을 맞으러
갑시다.
발이 달린 식물은
그늘에서 일어나세요.
그늘 가리지 않는
해 트인 곳으로
걸어가세요.
키가 크고 싶은 식물은
해 트인 곳으로
지금 어디에 있나요
뿌리 깊게 내린 땅에서
뿌리가 아닌 발이 되어
걸어나가세요
해 트인 곳으로

수박 안에 수박

이번 여름은 유독
수박만 보여
군침이 돌아.
매일 수박을 먹어
내 뱃속에서 수박만 한
생명이 자라기 시작했다.
수박을 깼더니
손과 발이 달린 수박이 나왔다.
나는 아직 팔이 자라지 않아
안아보지 못했다.
눈을 떠보니 나는 깨진 수박
둥글둥글한 몸으로
침상에서 이리저리 굴렀다.
깨진 수박 조각이 붙었다.
드디어 다리가 생겨
작은 수박한테 걸어갔다.
드디어 눈이 생겨서
작은 수박이 보였다.
드디어 팔이 생겨
품에 안아 보았다.
크기만 다른 미니어처
똑 닮았네.

천국에 있는 나의 집

천사같다고 생각했더니
중학생 입학 교복을 맞춰준 날
우리 아버지는 천국행 열차티켓을
받았다. 가지 말라고 했다.
부운 다리를 주무르며,
계속 주물러 주고 싶은데 천국은
나중에 가도 되지 않냐고 했다.
아버지는 우리 가족이 살 집을
미리 지어 놓겠다고 했다.
더 이상 붙잡을 수 없었다.
나도 아빠가 지은 집에서
살고 싶어요.
목련이 피고 지는 봄이 오면,
천국에 있는 나의 집이 떠올라.
우리 헤어진 지 25년 지났지만
천국의 시계는 25분 지났대
1시간 있다가, 아빠가 만든 집으로 갈게
아빠는 1시간 만에도 집을 지을거야.

엄마의 여름 휴업

'엄마의 역할'을 찾아주신
가족 구성원 여러분들께
안내드립니다.
8월 13일부터 19일 7일간 휴업입니다.
8월 20일부터는정상영업합니다.
휴업 기간 동안에는
전화와 깨톡 상담이 불가하오니,
이점 양해 부탁드립니다.
충분한 재충전의 시간을 통해
가족 구성원 여러분께
더 나은 에너지로
보답 드리겠습니다.

행복 안경

잘 보이지 않아서 아무거나 집어먹었다.

과일 집 사장님이 추천한 과일을 사 왔는데

맛이 없었다. 상한 과일이었다. 후회했다. 대충 짐작해서 골라 먹었다. 운에 맡겼다. 오늘도 틀렸다.

성공 확률은 50%도 안 되었다.

스스로 운이 없다고 망연자실했다.

그러다가 안경 생겼다.

잘 보이기 시작했다. 상한 과일을 골라냈다.

먹어보고 아니면, 다음에는 먹지 않았다.

맛있던 음식을 파는 가게와 음식을 적었다.

사람들도 내가 무엇을 좋아하는지 알았다.

내가 좋아하는 것이 있을 때 사람들이

나를 떠올렸다. 이제 운으로 살지 않는다.

안경을 쓴 이후로 나는 행복해졌다.

이세원

일본이라는 나라와 언어에 관심이 많았던터라 일본이라는 책을 빌려보았다. 일본이라는 책에서 영감을 얻어 곰과 하브라는 시가 탄생했다. 편의점에서 구입한 커피를 마시다가 콘트라 베이스라는 시를 쓰게 되었다.

그리고 커피숍에서 커피를 마시며 여유를 부리다가 문득 우주라는 세계가 떠올라 보랏빛 우주라는 시를 쓰게 되었다. 앞으로도 책, 일상, 여행, 공연관람 등에서 영감을 얻어 글을 써볼 생각이며 이 창작이라는 것이 정말 즐거운 요즘이다.

광어회

생선살을 살살 도려 발라
예쁜 접시에 담아
탁자위에 올려 놓네

상추위에 회를 쌈장에 찍어
올려서 마늘도 올려
쌈을 입안에 넣으면
내 마음은 하늘 위에서 붕붕
소주도 한잔 걸치면
이 세상은 다 내것

간재미 무침, 멍게살, 소라는
광어회 친구들
함께 하면 더할나위 없네

오늘도 난 수산물 가게에
혼자 앉아 낮술을 하네
이 세상은 다 내것

여린 마음

술한잔 기울이며 고민하는 밤
그대의 밤은 가냘픈 피리 소리와
같습니다.
얘기를 걸며 다가가고 싶어도
못하는 그대
현실을 알고 있어도 투정만 하는 나는
부족한 사람입니다.
그대의 마음을 톡 건드려
잠을 이루지 못하게 만드는 나는
여전히 부족한 사람입니다.
나의 한시간 눈물과 그대의 30분 고민은
그 마음이 같습니다.
내가 다가가서 손을 내밀 수밖에 없지요
그래도 연결고리가 있다는 것
우린 나누고 있다는 것에 큰 의미가 있습니다.
그대의 마음을 즐거움과 행복으로
가득하게 채워 주려 합니다.
그대의 마음이 강해지기를

곰과 하브

곰돌아
종소리가 들려도
도망가지 말아라
어깨를 쫙 펴고
씩씩하게 걸어

하브야
너의 독을 나쁜 사람들에게
뿜어주렴 예쁜 세상
만들어 보자

사슴, 새, 양, 뱀, 곤충,
원숭이, 돼지가 가득한 나라로
만들어 보자

벚꽃, 라벤더, 장미, 해바라기 꽃이
가득한 세상을 만들어 보자
단풍잎이 가득한 풍경을 바라보자

하브:반시뱀

벚꽃 피는 봄날에

피아노 선율에 맞춰
그대의 노래는
내 마음을 다독여 주듯
저린 마음을 녹여
내 입가에 미소 짓게 하네요

긴시간 동안 웃음을 주는
그대는 내 인생의 친구
나의 노래를 들어주고
노래로 답을 주는 그댄
best friend

객석에 앉은 사람들의 환호와
웃음소리 그리고 노래
그대를 닮아 따뜻한 온기가
느껴져요

그대의 호소력 짙은 노래는
내 귓가에 돌고 돌아
내 마음 깊은 곳에 자리 잡아요
따뜻한 봄이 느껴져요

도서관

햇살 내리쬐는 어느 봄날
한참을 걸어 도착한
건물 3층

커다란 책장들 사이사이
책들이 가득하게 꽂혀 있고
난 틈틈을 걸어
책들의 제목들을 읽어보네

눈에 띄는 기욤 뮈소의 파리의 아파트
창문으로 햇살 들어오는 초록 책상
책들을 책상위에 올려
첫 페이지를 펼치네

글자가 가득한 종이에서
눈을 뗄수가 없어
창문에 들어오는 햇살이
내 이마를 비추고 해는 점점
모습을 감추고
오늘은 또 이렇게 하루가 가고 있어

콘트라 베이스

색깔별 병이 가득한
냉장고에서 골라낸 너의 존재
달지 않고 깔끔한 맛이
내 혀에 돌면 졸음이
확 달아나네

예쁜 몸을 가진
플라스틱 통안엔
500ml의 갈색 액체
잘 흔들어 마시면
잠이 확 달아나네

너의 그 촉촉하고 자극적이지
않은 액체는 내 마음을
즐겁게 해
머릿속이 깨끗하게 정리돼
힐링 속에 머물게 돼

보랏빛 우주

저 머나먼 곳 우주
그곳엔 그대가 있나요
손가락으로 입술을 만지며
의자에 앉아 있지요

저 머나먼 곳 행성
그곳엔 그대의 우주선이 있나요
우주선 안에 놓여진
우주용 휴대폰
휴대폰 안엔 앤야 사진이
가득하네요

그대는 앤야가 오기를 기다려요
주홍빛 비타민 음료
핑크 베이컨이 들어간 샌드위치
보랏빛 우주를 바라보며 먹어요

그댄 다시 지구로 돌아갈
생각은 없어요
앤야가 반드시 이 행성에
올테니까요

낙지 볶음

콩나물 가득
양파, 소세지, 베이컨 가득
열심히 익혀 주어요

낙지 볶음 한접시
팬에 부어 섞어주면
빨갛게 익어요

매콤한 낙지 한점
입안에 넣으면 쫄깃쫄깃
너무 맛있죠

베이컨, 소세지 차례로
입안에 넣으면
내 세상은 파라다이스

소주와 함께라면
얼마나 좋을까
막걸리와 함께라면
삶에 더 이상 바랄게 없죠

이채나

처음 강사님과 수강생 앞에 서서 글로, 말로 전한 인사를 기억합니다. 비유와 묘사가 어렵게 느껴지는 탓에 시와는 좀처럼 친해질 수 없는 사이. 서먹서먹하게 지내는지라 클래스에 참여하기에도 망설였지만 결국 자리에 함께하게 되었다는 얘기. 좀 더 자신에게 솔직해지고 싶고, 시를 통해 저를 드러내고 싶다는 말은 아직도 유효합니다.

강의가 끝나고 써두었던 글들을 모조리 엮어 책으로 내는 과정에 이른 지금. 함께하기 참 잘했단 생각이 듭니다. 평소에 말수가 극도로 적기도 하고, 심정을 잘 표출하지도 않았었는데 '누군가에게 건네기 두렵다' 생각했던 얘기들을 꺼내어 펼쳐놓는 계기가 되었달까요. 안 좋은 기억을 승화시키기도 하면서요. 여전히 저에게 시는 어려웠지만, 적어도 시를 쓰는 시간만큼은 즐거웠습니다.

감사합니다.

낙수

눈물은 베개가 아닌 너의 품을 적시곤 했다
허연 얼굴에 달린 샛노란 두 귀가 팔랑일 적엔
분명 체온이 없음에도 따스한 너의 품이
나를 모조리 끌어안고서 고인 마음을 빨아들였다

어쩌면 이름도 지어지지 않고서,
입이 없는 채로 살아가기를 타고난 네 삶은
우울 어린 말들을 흘려보낼 적까지
비밀에 부치기 위함이었을까

단 하루, 한 때라 해도 네게 입을 빌려주고 싶다
이제는 내가 말문을 귀담아 보겠노라고
너의 응어리진 말문으로 품 안을 온전히 적실 수만 있다면
그보다도 슬픔 어리고, 기쁨 피어날 일이 없겠노라고.

행인의 정원

길 가던 행인에게 묵례했다
뒷짐을 진 투박한 손등과 희게 바랜 머리칼
얇디얇은 바람막이 점퍼에 굽 닳은 등산화
낯선 그의 얼굴 위로 아버지가 둥실거림에
저 이도 나와 같은 또래의 딸아이가 있을까
아버지의 목은 볼 때마다 낯설다
그나마 잘 아는 거라곤 건설사에 근무하다가도
반년을 주기로 회사를 옮겨 다니신다는 점
이따금 몸에 피멍 자국을 지고 오신 날
짤막하게 하소연 해오신다는 점
내 오늘 손가락 잘릴 뻔했다
덤덤하기 그지없는 어투로
피 어린 자국을 들이밀고서
장난스레 안면을 구기심에
목 안에서는 줄기가 뒤엉켜 자라
입 밖으로 울컥 쏟아지지 않게끔
수시로 가지를 쳐주어야 하는 나의 턱 언저리에
어쩌면 아버지가 화단을 가꾸시는 게 이 때문일까
굳게 닫힌 유리창 너머의 베란다
좁다란 공간에서는
제각각 다른 모양의 투박한 화분에서 자라난

이름 모를 식물들 사이사이로

행인의 언어가 햇살을 타고 느릿하게 유영한다

김밥의 냄새

우리 집에 칼갈이가 있단 사실을 처음 알게 된 밤이었습니다
작은이모가 손에 쥐어주고 가셨던 김밥과
제가 사 온 과도는 거실에 둔 채로
방에서 한 발짝도 나오지 못하였습니다
하얀 문 너머로 들리는 칼 가는 소리, 성난 목소리
내지는 현관문이 열렸다는 경쾌한 알림 소리에
저는 그만 고개를 떨구었습니다

서울 집에 친오빠가 짧은 문자로 위로를 보내던 밤이었습니다
작은이모가 손에 쥐어주고 가셨던 김밥과
제가 사 온 과도는 여전히 거실에 둔 채로
입 대신 손가락을 움직였습니다
노란 말풍선에 눈물을 적시어 보내려다가
물기가 온통 얼굴을 적시는 바람에
저는 그만 고개를 쳐올렸습니다

물기가 마르고 나서야
굶주렸던 배를 달래려
엄마의 운동화가 사라진 자리 너머
거실에 홀로 앉아계셨던 아버지와
함께 집어먹은 김밥에는

은박지 접힌 자국 틈새로

알약 냄새가 잔뜩 웅크리고 있었습니다

첫눈

빨래를 걷으려던 차에 바깥을 보니
새벽에 눈송이들이 놀다 갔었는지
육교와 지붕 위에 하얀 발자국이 남아있더라
뒤늦게나마 나가서 맞이하려니
적막하고 손은 시리고 발밑은 미끄럽고
입김마저도 나의 시야를 가려오더라
겨우 나무 사이에 계단을 거닐자니
그제야 바람결에 휘날리는 잎들이
떠안고 있던 방문객을 내려보내더라
새벽에, 너희들만 마주했을 광경을
내게도 안겨주더라

깜장 포도알

피아노를 배운 지 얼마 안 된 열 살짜리 꼬마는
서툰 손짓으로 희고 검은 건반을 꾹 눌러가며
종이 위로 포도를 열심히 키웠는데

육교에서 발이 걸려 넘어지고
지나가던 어른이 놀라 걱정해 올 때도
곧장 일어서서 학교로 향했지

깜장 포도알처럼
무릎에 짙게 패인 흉터는
이제 거진 사라졌지만 말야

달지도 않고
씁디 쓰기만 한 포도알이
뭐가 그리도 좋다고 목을 매었는지

육교로 돌아가 네게 손을 내밀고 싶어
포도 한 알만 보고 살아가기엔
우리에게 주어진 땅은 넓다고

별 난 아이

너는,
참 별 난 아이였다
삼 일 치 일정표를 나눠 받고
어색한 반 친구들과 함께
사월의 제주도에 갔을 적에

언덕을 오르는 애들 사이에서
바다를 보자고
폭포를 보러 계단을 내려가기보단
카페에 가자고
시장에 들어가 선물을 사기 전에
옷부터 맞춰 입자고 했다

빼곡히 늘어진 틀에
갇히지 않으려던 별 난 아이
어른들이 사는 세상보다도
크고 넓은 세상에서 나는 아이

참 별 난 인연이다
끝내 성장을 멈추기도 전에
이 별, 지구에서 너라는 친구를 만나
너의 곁을 공전할 수 있기에

천 원어치 온기

길가에 파는 노릇한 붕어빵
포장마차 앞에 서면
두 손에는 열기가 피어올라

교복을 정갈히 입고
정류장에 서 있었던 나와
멀리서 신호등에 걸려 멈춰있는 버스

그리고 맞은편 인도에서 뛰어오던 반 친구
가방을 품에 끌어안고서 내게 다가오더니
붕어빵을 먹겠냐고 물어왔었지

나는 말끝을 흐리다가 먹겠다고 대답해 버렸어
그러자 친구의 가방이 입을 벌려 다급하게 숨을 뱉었어
슈크림이야, 뜨거워.

다시금 맞은 편으로 뛰어가는 친구의 뒷모습을 눈으로 좇다
정류장에 도착한 버스에 올라탔어
허여멀건한 냄새가 퍼질까 봐, 맨 뒤 좌석을 꿰차고

급히 입속으로 집어넣은 붕어빵과

그때 흘러내린 슈크림은 너무 뜨거워서
지금까지도 내 손가락을 데게 해

달구어진 손가락을
바지춤에 문지르고 나서야
아주머니에게 말을 건넸지

천 원어치만
둘이 나눠 먹기에 딱 좋은
그만큼의 온기만 원한다고

꽃의 이름

새벽 2시, 현관문을 열고 나와 잠옷 차림으로
계단 쪽에 있던 아파트 창문 너머엔
주차장과 쓰레기 수거함들이 즐비했고
그 뒤로는 보리밥집이 있는 건물
가장 높은 층의 창가에서 불빛이
하얬다가 노래지고, 푹 꺼지길 반복했다
건물 옆에는 자그마한 꽃밭이 있었단 사실을
떠올리고 나서야 들려오는 속삭임

너 그거 기억나?
손잡고 걷는 길
봄에 꽃 피어 있으면
너 되게 좋아했었는데
꽃 꺾어다 주면
좋다고 들고 다녔는데
어렸던 내 손바닥보다 훨씬 작았던
노란 꽃의 잎은 넷이었나 다섯이었나

손바닥 위에 언제까지고 남아있을 거라 믿던
노란 꽃의 이름을 아직도 모르겠어요
다시 꽃밭에 간다고 해도

그 꽃이, 꽃밭 위로 여전히 살아 있을까요
입 밖으로 새어 나온 물음들이
엄마에게로 가 닿지를 못해서
허공에 흩날리고, 흩어지고
나는 여전히 계단에, 창문 앞에

껌벅이는 불빛에 꽃잎을 세보려

주원

누군가를 향한 사랑과 열정은 병들었던 몸과 마음, 등대를 잃고 방황하던 망망대해에 떠 있던 돛단배와 같은 삶에 살아갈 희망을 주었다. 그리고 더 나아가 세상을 품고 쓰다듬고 치유하게 만든다.

무언가에 집중하고 몰두하는 시간이 가져다주는 덕질이란 걸 배우고 실천하는 삶은 내게 새로운 인생을 가져다 주었다. 나누고 베풀고 실천하는 사랑으로 가득채워진 하루하루의 삶은 내겐 이젠 더 이상 없어서는 안 될 중요하고 소중한 일상이 되었다.

시절인연

노란나비 살랑살랑
벚꽃 비
새하얗게
흩날리던 날

핑크빛 꽃잎 하나
약속도 없이
내 창가로 살포시
내려 앉았네

가는인연 잡지를 말고
오는인연 막지마세요

파도마저 멈춰버린
깊은 새벽녘 바닷가에
어디선가 들려오는
운명의 노래소리에

잡초하나 없는 뒷마당
회색빛 음지에

반백년간 굳어버린
처마위 고드름은

봄 햇살을 받아
녹아 내리 듯

뚝 뚝 뚝
흘러 내렸네

또지 순례

가슴속 핀
노오란 어린 해바라기
한송이를 들고

손에 꼭
쥐지도 못한채

두살먹은 아이처럼
뒤뚱뒤뚱 걸었네

에베레스트
8천 8백 4십 8미터를 오르는
순례자의 마음으로

돌 뿌리에
치일때도

그저 입 꼭다물고
앞만 보고 걸었네

가끔은 소리를 지르며
호들갑을 떨며
강아지처럼 날뛰었네

동서남북
천리길 만리길 마다않고
안 가본곳 없었네

아이 시집갈 나이 다 되어
새삼 무슨짓인가 하는
쉰내 나는 부끄러운 체면도

이미 먼 눈에 안경을 끼듯
아무소용 없었네

가슴으로 낳은 자식
밤낮으로
수많은 날
두손모아 지성을 드렸네

투명한 기도의 씨앗은
하늘에 닿아
주렁주렁

별나무가 되었고

샛노랗고 수줍기만 했던
작고 어린 해바라기는
어느새 무럭무럭
하늘끝까지 커져있었네

내 청춘은
햇살이 들이치는
창가에 놓아둔
사과 껍데기

어울리지 않는 마음
감히 하나
덩그러니 든채

거울에 비친
낯선이의 얼굴 달고
우두커니 서있네.

오리의 꿈

두부처럼
말랑말랑한 얼굴은

웃을땐
네모 입이 되지

어린마음에 쌓인
한이 깊어서 였을까
유독 눈물이 많았다가도

노래를 부를라치며
태풍에 지붕이 날아갈 듯
쩌렁쩌렁
천둥번개가 되지

엄마의 깊은 한숨과 눈물도
차마 꺽지는 못했지

몸은 비록 이공장 저가게
안해본일 없이 다녔지만

돋보기가 종이를 태우듯
오로지 한곳만 바라보았지

홀홀단신
가방 하나 달랑메고
서울로 올라와 단칸방 신세에도

외할머니가 손수만든 시골 청국장처럼
구수하게 웃었지

칠전팔기의 오뚜기처럼
쓰러지고 넘어져도
다시 일어났지

마침내
작은 아기 오리는
하늘로 날아올라

세상을 호령할
준비를 마쳤지

오내언사

살짝쳐진 눈꼬리

면 보자기로 닦은 사과 껍질처럼
반짝반짝 윤이 나는 피부

파리 에펠탑처럼
높게 솟은 예술적인 콧날

꼭다문 앵두같은 입술은
가끔은 씰룩씰룩
어쩔땐 삐죽삐죽

피곤할 땐
빨간점 하나가
그위에 툭 달렸지

동자처럼 훤칠한 이마는
하늘하늘 강아지풀 같은
머리카락에 내어주고

아기곰처럼 잔망스런 눈망울은
깊은 호수처럼 잔잔하게
하염없이 깊어지고

누구라도 안아주고 감싸주며
세상을 전부라도 품을 만큼
자비로웠지

따뜻한 손은
늘 자신의 것이 아니였으며

몸은 개미처럼 분주하게
이곳 저곳으로
바쁘게 돌아다녔지

어덕행덕

어두운 거실에는 조잘조잘
TV 한 대 바쁘게 돌아가고

책상위 노트북엔
유튜브가 틀어져있다

이불속, 소파위
온집안 여기저기에 놓여진
빨주노초파남보 공폰들은
숨죽인채 매일매일
각자 열일을 하고 있다

우리의 전자 삼총사들은
주인없이도
아무런 불평불만없이
제각기 알아서
묵묵히 잘도 돌아간다

먼동이 떠오를때 즈음이면
오늘도 어김없이

먹이를 찾아 헤매다니는
밤새 굶주린 하이에나처럼
초록창을 뒤진다

웹이라는 바다 위에서
쉴틈없이 펼쳐지는
손가락 서핑

툭툭 투르륵 스윽
간밤에 무슨일 무슨 소식이 있는지
엄마 잃은 새끼 강아지처럼
이리기웃 저리기웃

이 기사 저 사진과 영상에
좋아요를 누르고 댓글을 달면
하루 24시간도 모자를 판

오늘도 잘 살았다
어깨를 펴고 눈을 감으면
캄캄한 새벽 하늘에 뜬
유난히도 밝고 눈부신
별하나가 품속으로 들어온다

1분의 전쟁

오늘은
콘서트 티켓이
오픈 되는 날

1시간 전부터
쿵쾅쿵쾅
심장이
요동치기 시작한다

앱에 로그인을 해놓고
기지개를 펴고
손가락
준비운동도 한다

오 사 삼 이 일 땡
일사천리로 툭 툭 툭
어 어 어!!! 안돼
급해지는 마음
자꾸만 좌석이 사라진다

중앙 앞좌석은 맘 접은지 오래
맨 뒤쪽 구석지더라도
제발 하나만 하나만…
더더 빠르게 톡 톡 톡

꺄악~
1분만에
전석 매진

겨우겨우
하나 건진
내 손안에
오내언사

첫사랑

핸드폰 연락처에 저장된
수 천개의 전화번호

쉽게 만나고 안녕하는 세상속
차마 지우지 못하고 간직한다는건
못다한 인연에 대한 미련이기 보단
삶에 대한 진지함일 거에요

헤어진지 오래된
첫사랑의 연락처
그리고 그와 나눈 이야기들을
꼬깃꼬깃 접어두고
미처 버리지 못한다는 건

보고싶어서라기 보단
열정을 다한
내 순수했던 삶에 대한
소중함 때문일 거예요

찬스

너무 사랑한 사람은
멀리 두세요

너무 가까이가면
아름다운 장미 가시에
찔리게 될지도 모르니까요

너무 깊게 사모한 사람은
멀리 두세요

강렬했던 향기도
너무 가까이에 있으면
맡을 수 없게 되니까요

너무 보고싶은 사람은
멀리 두세요

크게 보이던 물체도
너무 가까이에 있으면
전체를 다 볼 수 없으니까요

너무 그리운 사람은
멀리 두세요

그래야
죽을 때까지 오래오래
사랑할 수 있으니까요

최설

시인들은 인어처럼 나와는 완전 다른 종인 것 같았어요. 어떻게 저런 언어를 구사할 수 있을까? 노력해서 되는 일이 아닌 것 같아서 너무 질투가 났지요. 그래서 이번에 내가 싣는 글들을 감히 '시'라고 부를 수 있을까? 걱정이 되기는 합니다.

그래도 첫 발자국이니 삐뚤빼뚤하고 어눌해도 그대로 의미가 있을 거라고 생각합니다. 닿을 수 없는 거리더라도 닿기 위해 노력하는 이 마음은 진심이므로!

새벽거리

구불구불 파란색 페인트강이 골목을 세로로 가로지른다
도시의 뒷골목 선술집들 사이에
누군가는 강을 그려 넣었다

작은 쇳소리를 내며
은색 껌종이가 뾰족뾰족한 날을 세워 경고한다
내 기척을 알아챈 펀치 기계가
그르릉 거리며 도발한다
덤빌 테면 덤벼봐

흠칫 놀라 길을 돌아가니
쓰레기 무단 투기 센서가 나에게 반응한다
쓰레기 무단 투기하면 벌금형이야

어두운 새벽길
나를 알아보는 사람 하나 없는데
나를 알아채는 것들

불 꺼진 술집을 호위병처럼 둘러싼
빛 바랜 초록색 대나무에는

반짝이는 가짜 별들이 대롱거리고
비에 촉촉히 젖은 가짜 강에 반사된 별들은
진짜 별만큼 곱다

내원사 소낙비

산에서는 비가 땅에서부터 내려
비보다 물이 앞서 흙이며 풀이며
눈물처럼 질겅이게 되면
어디가 먼저인지도 모르게
하늘과 땅이 비로 연결되지

나는 비구니들만 산다는
어느 절 툇마루 끄트머리에 앉아
비를 보고 있었어
코 앞에 대웅전 건물도 보이지 않게
세상을 가리는 비를
비를 맞지 않아도 흠뻑 젖는 비를

누군가 비를 타고 하늘로 오르는
물고기를 보았다지
그러고 보니 비는 튼튼한 밧줄처럼 보이기도 해
동앗줄을 타고 하늘로 오르듯
구름이 비를 걷어가고
눈물도 눈으로 다시 들어갔어
거짓말처럼

마알간 하늘이야

나는 아무 일도 없었다는 듯
마루에서 일어나 산을 내려왔어
축축한 치맛단은 잘 접어 감추고
맨 땅만 밟아 무사히 내려왔어

시그널

접촉의 공포가 사람들을 집으로 쫓아낸 거리
새벽의 음습함이 대낮에도 드리운다
불 꺼진 텅 빈 상가
돌출된 LED 간판의 이마도
'입학을 축하합니다'
'오늘만 반짝세일'
천연색을 잃고
회색으로 멍하다

아니야!
쓸쓸히 거두는 시선에 반기를 들며
정중앙에 점 하나 온 힘을 내서
천천히 깜박인다
또 한번 깜박
죽지 않았어
죽지 않았어!

나는 오래오래
그 점과 눈을 맞추었다
우리는 말없이

마음속 정중앙에 점 하나씩을 깜박이며

작은 주먹을 꽉 쥐고 돌아섰다

봄편지

온천천엔 벌써 벚꽃이 피었어
벚나무는 하나 둘 셋 속으로 세다가
한꺼번에 뛰쳐나와
사람을 휘둥그레지게 하네
저것들이 바람에 다 흩어지기 전에
너에게도 보여주고 싶어

어떻게 알고 나왔는지
배추흰나비도 날아다니더라
호랑나비도 어딘가에 있을 거야
팔랑팔랑 나비들도 같이 보여주고 싶어

아 맞다
도다리 쑥국도 지금이 딱이야
쑥은 더 늙으면 질겨 지는데
네가 올 날은 아직 멀었구나

지구만한 택배상자가 있다면 다 싸서 보내주고 싶어
나른한 바람과
흐릿한 아지랑이와

간지러운 꽃내음도 같이 포장하고 싶어

그럴 수 없으니
나는 또 너에게 편지를 쓴다
꽃 그림 그려진 고운 종이에 꾹꾹 눌러 적어
꽃 마음 봉투에 넣어 보낸다

그대라는 강

누군가를 사랑하는 일은
마음 속 가장 깊은 바닥에
강을 흐르게 하는 것

어떤 생각이 피어 오르든
어떤 행동을 하든
내가 어떤 꽃을 피우든

그 바닥엔 그대라는 강물이 있어

그 물은 어딘가로 흘러가지만
나의 모든 것은
그 물에서 비롯되어 나온다

나는 오늘도
그 물로
밥을 짓고
멱을 감고
빨래를 한다

간섭

물이 흐른다
그 위로 기차가 달린다
역방향으로

서로 한치의 간섭도 없이
제 갈 길을 간다
빠르게
또는 유유하게

콘서트

너를 더 잘 보려고
안경을 고쳐 쓰고
뻑뻑한 눈을 껌벅거렸다

너는 마치 새처럼 순식간에 날아가 버리고
나는 마치 새를 놓친 탐조대원처럼
망연자실 앉아있었다
꿈이었나
네가 남겨준 내 심장소리만
쿵쿵 무대를 울렸다

나는 그 아래 쭈그리고 앉아
한때는 공중을 반짝이며 수놓던
컨페티 조각들을
하나씩 모아 보다가
뿌연 드라이아이스 냄새를 큼큼 맡아 보다가
돌아섰다

결말을 알고 있는 영화를 다시 보듯이
나는 또 그 무대 앞에 앉을 것이다

너의 목소리를 머리에서 발끝까지 뒤집어 쓰고
집을 모르는 사람처럼 헤매다가
천천히 희미해질 예정이었다

잃어버린 것

잠은 다 깨고
창밖을 내다보는 기차 안
푸른 산이 보이다
회색 담장이 보이다 한다
풍경이 휙휙 지나가는 기차
빨간색 초록색 신호등이 바닥에 번지고
그 위로 어둠이 내려앉는다.
목적지가 얼마 남지 않았다는 안내방송이 나오고
나는 주섬주섬 물건들을 챙겨들지만
여기가 진짜 나의 목적지인지
의구심이 가득하다
나의 일부는 출발역에 떨구고 온 듯
어느 유실물 보관센터에서
비를 피하고 있는 우산인 듯
당최 갈피를 못잡는 마음

마스크를 위한 시

너는 태초에
미세먼지를 막아주는 용도로 태어나서
바이러스가 창궐하였을 때는
온 국민을 구한 수퍼히어로였다
돈이 있어도 살 수 없는 금스크였지

그리고 한동안은
마치 신체의 일부인 양
우리 얼굴위에 상주하면서
화장 안 한 생얼을 가려주어
피부재생에 기여하기도 했고
애매하게 아는 사람을
몰라봐도 용서가 되는
구실이 되어 주기도 했지

너는 이제 다시 본연의 위치로 돌아가
미세먼지를 94프로 막아주는
KF-94가 되었지만
너를 볼 때 우리의 심정은 예전 같지는 않구나

립스틱을 묻힌 채

식탁위에 나뒹구는 너를 보니

수퍼맨의 쓸쓸한 뒷모습과

상이군인의 절뚝거리는 다리와

배은망덕이라는 단어가

동시에 떠오르는구나

부럽다

산책길에 댕댕이가
자기 똥을 치우고 있는 주인을 등지고
모른척 앉아 있다.

나 몰라라 할 수 있는
개팔자
상팔자